EN GROS CARACTÈRES

Histoires d'animaux

BOUM BOUM
ÉDITEUR

D1402144

BIBI LA BREBIS

Julie est fière de ses brebis. Personne n'a jamais vu de laine plus belle que la leur. Mais la plus belle, c'est celle de Bibi. « Ma toison est si douce ! dit-elle. Les gens viennent ici rien que pour moi. »

Un jour, Bibi voit une dame et un monsieur
qui examinent la laine des autres brebis.
Julie, en l'apercevant, s'écrie : « Bibi ! Je te
cherchais ! »

« Voici Maria et Luc, fait Julie. Ils filent la laine à la foire. »

« Et c'est ta laine que nous voudrions filer, dit Luc. Elle est si belle, si douce ! »

Bibi est flattée. Gonflée d'orgueil, elle s'éloigne dans la remorque de Julie. Le soleil brille et elle a un peu chaud. Mais peu importe!

Une foule nombreuse assiste à l'arrivée de Bibi à la foire. Julie prend quelques mèches de sa toison et Luc les file sur son rouet.

« Nous ferons de cette laine merveilleusement douce un foulard douille », annonce Maria. Sur ces mots, tout le monde a envie de caresser Bibi.

Bibi a de plus en plus chaud. Mais elle ne se plaint pas. « C'est la gloire, Bibi, fait Julie. Mais je suis sûre que tu seras contente après la tonte, demain. »

« C'est quoi, la tonte ? » demande Bibi. Mais Julie n'a pas entendu. De retour à la ferme, Bibi va trouver ses compagnes.

« C'est quoi, la tonte ? » leur demande-t-elle.

« C'est quand on a moins chaud ! » fait l'une.

« Qu'on se sent plus légère ! » poursuit une autre.

« Oui, maaaaiis, bêle Bibi, c'est QUOI, la tonte ? »

« Tu ne sais pas ? fait une autre. La tonte, c'est quand on perd notre toison ! »

Et elles repartent en bêlant gaiement devant l'air effaré de Bibi.

«Oh non! s'écrie-t-elle. Pas ma belle laine?»
Mais c'est vrai. Le lendemain, les tondeurs
retirent la laine de chaque brebis. Elles ont
l'air si petites une fois tondues!

Elles gambadent joyeusement, tant elles se sentent légères sous le soleil. Mais Bibi est horrifiée. Elle ne veut pas perdre sa belle toison.

Elle va s'abriter à l'ombre d'un arbre. Mais
le soleil s'élève dans le ciel. L'ombre disparaît
et la chaleur devient insupportable.

Bibi trouve refuge dans la laiterie, là où
on fabrique le beurre et le fromage. Il y fait
merveilleusement frais et Bibi se sent mieux.

Hélas, une main la repousse. « Va-t'en, dit le laitier. C'est jour de tonte, aujourd'hui. Il est temps de couper ta toison. » Et il la met dehors !

Bibi court jusqu'au ruisseau et plonge les pieds dans l'eau fraîche. « Enfin ! dit-elle. J'avais SI chaud ! » Tout de même, le soleil continue de lui chauffer le dos.

Comme si cela ne suffisait pas, voilà Sam, le chien berger. « Wouf ! Wouf ! aboie-t-il. Bibi ! Viens vite avec moi ! Julie te cherche pour la tonte. »

« Je ne VEUX pas perdre ma toison, bêle Bibi. Je ne veux PAS ! » Et elle se sauve. Mais Sam est plus rapide. Il lui a vite barré la route. Bibi a une idée.

Bibi entreprend de se faufiler sous la clôture de fil barbelé qui entoure la ferme. Sam ne peut la suivre ! Tout à coup, elle sent qu'on tire sa toison.

« Bêê ! » gémit Bibi. Sam la retiendrait-il avec ses dents ? Elle tente de se libérer.

« Wouf ! fait Sam. Ta toison s'est coincée dans la clôture, Bibi ! »

Sam court chercher Julie. «Tiens bon, Bibi, dit celle-ci. Je vais couper ta laine. Après quoi, tu te feras tondre comme il faut, petite sotte!»

Bibi est trop épuisée pour se disputer avec Julie. Toutes les autres brebis folâtrent sous le soleil, heureuses d'être débarrassées de leur toison.

Le tondeur a vite coupé la belle toison de Bibi. « Dommage que tu aies un trou dans le dos », dit-il. « Elle est restée coincée sous la clôture », fait Julie. Pauvre Bibi !

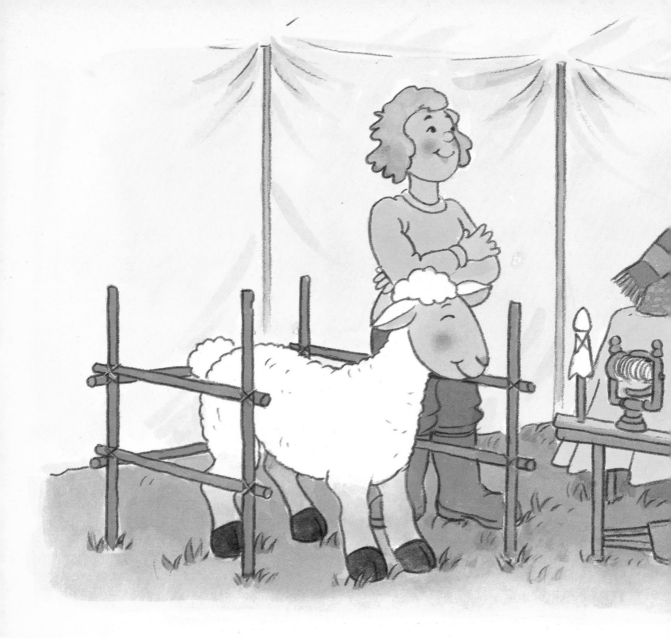

Mais elle doit reconnaître qu'elle se sent bien mieux ! Luc tire une grande quantité de fil de sa toison. Maria en fait un tas de foulards et de châles.

Ils remportent le premier prix au concours d'artisanat. « On fait de belles choses avec de la belle laine », déclare Maria. Et c'est bien l'avis de Bibi !

BENOÎT ET ROSE

Benoît et Rose sont deux vigoureux chevaux.
Ils travaillent à la ferme depuis longtemps.
« Votre grand-père a acheté Benoît et Rose
quand j'étais jeune, explique monsieur Roy
à Jacques et Suzanne. Sans eux, la ferme
n'aurait pas été la même. »

« Mais ils se font vieux, poursuit-il. Des changements s'imposent. »

Jacques et Suzanne se regardent. Que veut dire leur père ?

Ils le découvrent bientôt ! Un matin,
ils entendent un gros BIP ! BIP ! et voient
surgir un véhicule rouge ! « Un tracteur neuf ! »
crie Suzanne.

« C'est maman qui conduit ! » ajoute Jacques.
Ils cessent de nourrir les poulets pour voir de
plus près. Maman et papa ont l'air ravis.
Le tracteur a fière allure !

« Voici Toby le tracteur, fait maman. Il laboure, nettoie les fossés, tire la remorque, déplace de lourdes charges… »

« Mais Benoît et Rose font déjà tout ça ! dit Suzanne. Que vont-ils faire ? »

« Qu'ils se reposent ! fait papa. Le tracteur fait le travail en deux fois moins de temps ! » En effet, le tracteur peut labourer le champ, creuser un fossé et planter une clôture en une seule journée !

Et le tracteur n'a même pas l'air fatigué !

« Ce cher Toby ! » fait le fermier en lui tapotant l'aile affectueusement.

« Ça fait drôle de ne plus travailler », dit Benoît à Rose.

« Ça ne me plaît pas, répond-elle, l'air renfrogné. Si nous n'avons plus rien à faire sur cette ferme, on n'a pas de raison de nous garder. »

« Allons ! fait Benoît. Toby ne peut pas tout faire ! »

Mais Rose hoche tristement la tête.

« J'ai bien peur que oui », dit-elle.

Benoît se tait. Si Rose avait raison ?
Pourquoi les garder si le tracteur fait tout
le travail à leur place ?

Benoît regarde le ciel. « Rentrons à l'écurie, fait-il. On dirait qu'il va pleuvoir. » Rose soulève ses lourds sabots. Elle évite de regarder monsieur Roy au volant du tracteur.

« Fini de planter ! lance-t-il à sa femme. Juste comme il va pleuvoir. Vive notre tracteur neuf ! » À peine a-t-il verrouillé le hangar que la pluie se met à tomber.

Il pleut toute la nuit. Benoît et Rose entendent tomber la pluie sur le toit de l'écurie. Le lendemain matin, ils voient entrer Jacques et Suzanne en imperméables et bottes de pluie.

« Bonjour, vous deux », dit Jacques.

« Voici de l'avoine et du foin », fait Suzanne.

Tout à coup, on entend un grand cri dans la cour.

« Au travail, Toby ! s'écrie monsieur Roy. La pluie a emporté tellement de terre que la clôture s'effondre. Elle tombe dans le ruisseau. »

On entend le tracteur démarrer. Jacques et Suzanne quittent les chevaux pour voir ce qui se passe. La pluie a rendu le sol boueux et glissant.

Mais Toby est toujours aussi fringant!
Quand Jacques et Suzanne atteignent
le champ, il a déjà commencé à retirer les
piquets du ruisseau.

Chaque piquet est chargé dans la remorque.
Monsieur Roy accroche la remorque au tracteur.
Tout le monde est ravi. Jacques et Suzanne
trépignent de joie !

Monsieur Roy se met au volant et démarre.
Toby fait beaucoup de bruit tandis qu'il essaie
de tirer la remorque. Mais ses roues dérapent
dans la boue.

Toby a beau essayer, il n'arrive pas à avancer. Ses roues s'enfoncent dans la boue. « Zut ! s'écrie monsieur Roy. Que faire ? »

C'est alors qu'on entend des sabots marteler
le sol.

« Benoît et Rose ! » s'écrie Suzanne.

« Ils vont dégager Toby ! » fait Jacques.

Benoît et Rose sont menés à l'endroit où Toby est resté pris. Bientôt, ils piétinent le sol boueux et arrivent à la hauteur du tracteur.

Toby est manifestement ravi de les voir !
Monsieur Roy s'empresse de les harnacher
solidement au tracteur. « À vous deux, Benoît
et Rose ! » dit-il.

Benoît et Rose tirent de toutes leurs forces.
Après quelques minutes, ils réussissent à tirer
le tracteur et la remorque chargée sur la terre
ferme. Ouf !

« Hourra ! font Jacques et Suzanne. Chers Benoît et Rose ! Nous avons encore besoin de vous ! » Toby allume ses phares en signe d'approbation.

PAUVRE MARGOT

L'ânesse Margot a piètre allure. Elle est grosse et maladroite et il lui manque des plaques de poil. C'est Claude, du refuge pour animaux, qui l'a baptisée Margot. « Elle a été maltraitée », déclare-t-il à monsieur Leroux.

«Thomas et Marie peuvent-ils s'en occuper?»

«S'il te plaît, papa! font les enfants. Il lui faut un bon foyer!»

«D'accord, dit monsieur Leroux. Qu'elle reste.»

Thomas et Marie sont ravis! Margot est heureuse à la ferme. Elle les attend à la sortie de l'école et tend le cou pour qu'ils lui grattent les oreilles.

Hélas, elle sursaute au moindre bruit. Dès qu'un chien jappe, que le coq chante ou qu'un camion passe, Margot brait de terreur !
« Hi, han ! HI, HAN ! »

« Calme-toi », fait Marie en la caressant pour la rassurer.

« Margot a été effrayée par un bruit violent, dit Claude. Elle est restée marquée. »

Les journées allongent. Marie et Thomas
ont trouvé une selle et une bride pour Margot.
Ils la montent tour à tour et se promènent avec
elle dans le pré.

« Heureusement que Margot est chez vous, dit Claude. Notre refuge était trop petit pour la garder. »

« Pourquoi ne pas l'agrandir ? » demande Marie.

« Il nous faut de l'argent, dit Claude. Pour l'instant, nous n'en avons pas assez, mais nous espérons en recueillir lors de l'expo agricole de samedi. Pourquoi ne pas nous acheter quelque chose ? »

Le refuge pour animaux a besoin de votre aide. Rendez-vous à **l'expo agricole.**

« Volontiers ! dit Marie. Mais nous voudrions en faire plus. »

Thomas et Marie réfléchissent. Margot voudrait bien être utile. Elle les pousse gentiment de la tête.

« Je sais ! s'écrie enfin Marie. Portons des affiches disant LE REFUGE POUR ANIMAUX A BESOIN DE VOUS et conduisons Margot à l'expo avec une tirelire au cou !

Thomas et Marie sont très occupés à confectionner les affiches. Ils les relient ensuite deux à deux avec de la ficelle pour les porter en sandwich.

Monsieur Leroux suspend une tirelire au cou de Margot. « Mets ton casque d'équitation, dit-il à Thomas. Marie va conduire Margot à l'expo. »

Margot est ravie et surtout très fière. En route, les gens viennent la caresser et en profitent pour poser des questions sur le refuge pour animaux.

Et ils déposent de l'argent dans la tirelire.
« Hi, han ! » crie Margot quand une pièce tinte.
Marie tient le licou fermement. « Tout va bien,
Margot », la rassure Thomas.

Des enfants gonflent des ballons et les font
éclater. « Hi, han ! » fait Margot, effrayée.
Boum, BOUM, fait soudain la grosse caisse.
« HI, HAN ! » crie Margot encore plus fort.

Une file de chevaux secouant leurs grelots passent près de Margot. CLAC ! Leur maîtresse fait claquer son fouet pour les faire avancer. CLAC ! CLAC !

« HI, HAN ! » Margot brait plus fort que
jamais. « HI, HAN ! HI, HAN ! » Elle pique un
galop ! « Arrête, Margot ! crie Thomas. Arrête !
Je t'en prie ! »

« Hi, han ! HI, HAN ! » On dirait que de nombreux ânes se sont joints à Margot. Thomas se cramponne à Margot de toutes ses forces. Il n'ose plus regarder.

« Arrêtez-vous, jeune homme ! crie quelqu'un.
C'est fini ! »

« Hourra ! lance un autre. C'est l'âne du
refuge ! Celui que nous avons vu en route ! »

Thomas sent un bras vigoureux se poser sur son dos. Claude tire doucement sur la bride de Margot et lui souffle à l'oreille : « Tout va bien, Margot. Du calme. »

Thomas lève enfin les yeux, penaud. « Désolé, Claude, commence-t-il. Nous voulions recueillir de l'argent pour le refuge, mais… »
« Mais c'est réussi ! » fait Claude.

Avec un large sourire, il brandit une pile de billets. « Margot et toi avez remporté la course d'ânes ! Et les gens continuent de nous donner de l'argent. Bravo ! »